NINE ANTICO

HOTEL
CALIFORNIA

D1005023

SAPRISTI

A Pamela des Barres

Desde 1953, millones de personas se congregan en Giant Rock, en el desierto de Mojave del sur de California, para asistir a la convención anual de naves espaciales organizada por George van Tassel con el objetivo de popularizar su mensaje de amor interplanetario...

... ME DESPERTÉ SIN SABER POR QUÉ. ALGO ME HABÍA PERTURBADO.

POR LA POSICIÓN DE LA LUNA, DEBÍAN DE SER LAS 2 DE LA MADRUGADA.

BLABLA... SE ME ACERCÓ UN HOMBRE. LE PREGUNTÉ QUÉ QUERÍA, PENSANDO QUE HABRÍA TENIDO UNA AVERÍA...

... CUANDO, A SU ESPALDA, VI UNA NAVE QUE CENTELLEABA...

... Y LEVITABA A DOS METROS DEL SUELO...

ME DIJO: «ME LLAMO SOLGONDA, PROCEDO DE VENUS».

«ME ENCANTARÍA ENSEÑARLE MI APARATO.»

ANTES DE MARCHARSE EN SU NAVE,

GIANT RO INTERPLANE AIRPORT

SOLGONDA ME HIZO UNA CONFIDENCIA... ¡ME REVELÓ QUE EL PASO DEL TIEMPO PUEDE DETENERSE!

¡SÍ, LO HAN OÍDO BIEN!

¡PODEMOS ALARGAR LA ESPERANZA DE VIDA HUMANA!

GRACIAS A LAS INSTRUCCIONES QUE ME DIO ESA NOCHE, Y A NUESTRAS CHARLAS TELEPÁTICAS POSTERIORES...

... VAMOS A CONSTRUIR UNA MÁQUINA CAPAZ DE REGENERAR LOS TEJIDOS CELU-LARES...

INTEGRATRON

UNDERSTANDING

ESTA CÚPULA ALBERGARÁ UN GENERADOR ELECTROSTÁTICO DE ALTO VOLTAJE BLABLA...

... QUE PERMITIRÁ ¡CONCENTRAR LA ENERGÍA DEL PLANETA!

PERO PARA ELLO NOS HACEN FALTA FONDOS.

¡¡EL INTEGRATRÓN NECESITA SU AYUDA!!

The Milton Berle Show

II

The Steve Allen Show

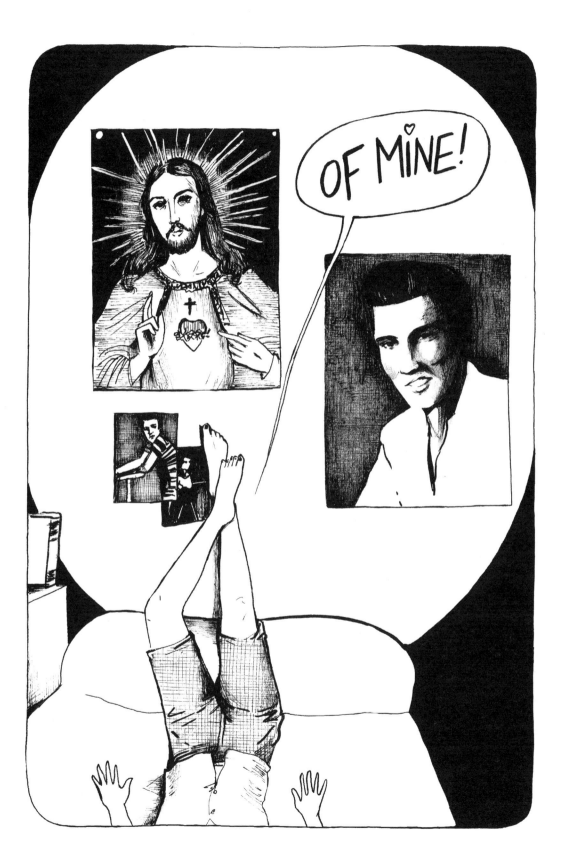

HOTEL CALIFORNIA

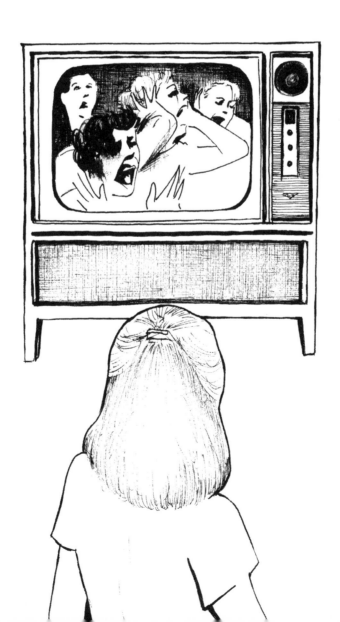

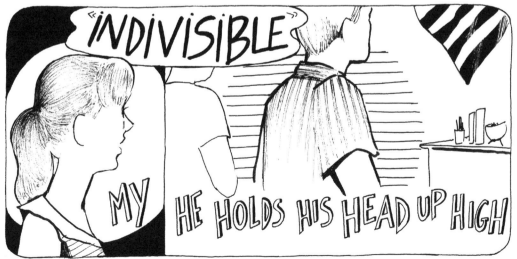

¡NO PUEDE SER!

¡MAMÁ!

... ENSEGUIDA VUELVEN DEAN Y JERRY PARA...

¿QUÉ? CUENTA, ¿CÓMO HA IDO?

¡LUEGO! ESTOY CANSADA...

45

AHH
A
AHH

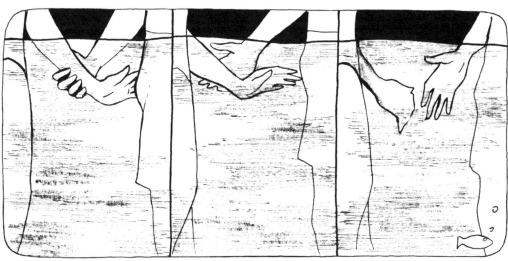

¿NO TE DA MIEDO BAÑARTE DE NOCHE!? QUE SE TE TRAGUE EL MAR Y TE VAYAS POR EL AGUJERO...

HUM... UN POCO.

PERO NO ME ALEJO MUCHO, ME QUEDO EN LA ORILLA...

NO SE SABE LO QUE HAY EN EL FONDO...

¿DE QUÉ...?

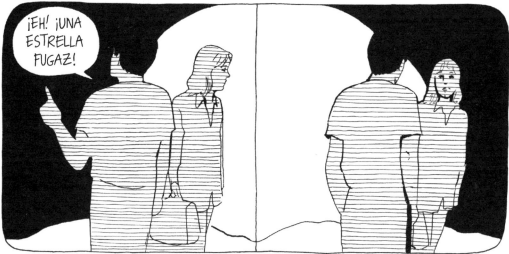

HE LEÍDO EN UN PERIÓDICO QUE EN LIVERPOOL SE HABLA EL «SCOUSE».

ES UN DIALECTO CURIOSO...

¡ME TOCA!

POR EJEMPLO, «YO» SE DICE «UZ», Y «TÚ» ES «YER».

¡¿UZ?! ¡UZ MARIE, YER JOHN!

Y LUEGO «GRACIAS» SE DICE «TA»...

Y «ADIÓS» ES «TA-RA».

¿Y CÓMO SE DICE «ESTOY LOCA POR TI»?

¡¡¡AH!!! ¡LA HA BABEADO!

MUÁ.

93

Capítulo IV

I Can't Get No
SATISFACTION

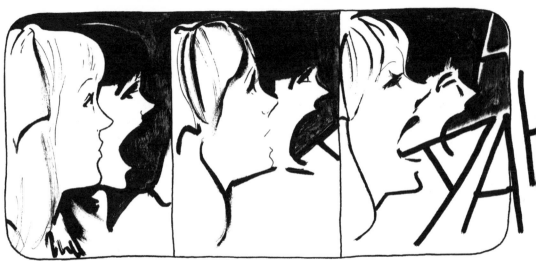

VENGA.

VAYA, VAYA...

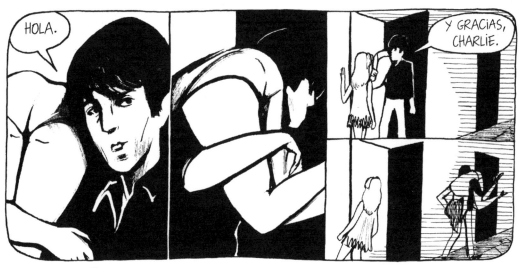

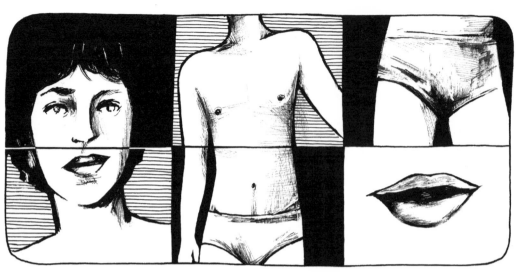

¡QUÉ MIERDA!

¡ESTOY HARTA DE
QUEDARME ENCERRADA!
LAS REVISTAS
Y LA TELE SON UN
MUERMO... QUIERO SALIR.

OK.

¿Y QUÉ ES EL LSD?

UN ALUCINÓGENO
MUY FUERTE...

YA, PERO
¿QUÉ TE HACE?
¿ES BUENO O NO?

A ELLOS LES HACE
MONTAR FIESTAS DE JUGAR
AL ESCONDITE Y TIRARSE
VESTIDOS A LA PISCINA.

¡OYE, JOANIE!
¡¿ADÓNDE VAS?!

¡A HACER PIPÍ!

¡RICITOS,
ACOMPÁÑALA! NO
ES QUE DESCONFÍE,
PERO, EN
FIN...

124

136

... ¡ESTÁBAMOS ATRAPADOS EN EL COCHE, EN MEDIO DE LOS DISTURBIOS DE WATTS!

¡PUM! ¡PUM!

TIROS POR TODAS PARTES, NEGROS CORRIENDO, LA PASMA SUDANDO...

AJÁ...

I FEEL SO

"BURN, BABY BURN", GRITABAN.

BROKE

Y NOSOTROS COMO UNOS TONTOS ÍBAMOS A REGISTRAR EL NOMBRE DEL GRUPO...

UP

LOVE

¡JA, JA, JA!

¡SEGUIMOS!

PARKING

I WANT TO GO HOME

141

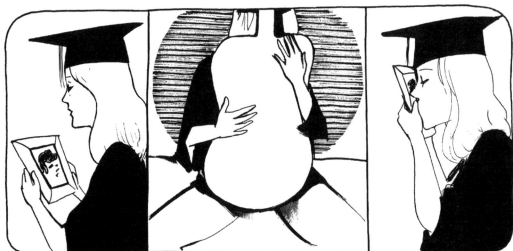

PERO ¡BUENO!
¡LO QUE FALTABA!

¿¡QUÉ?!

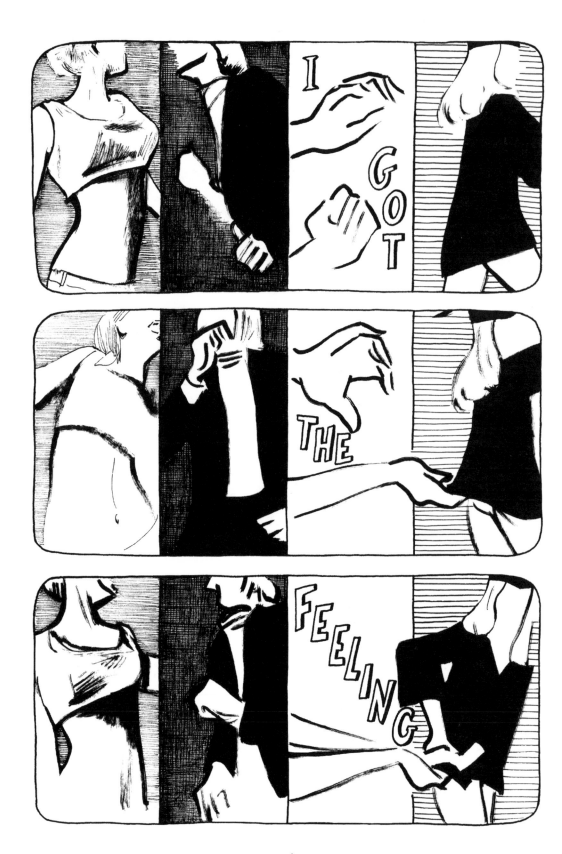

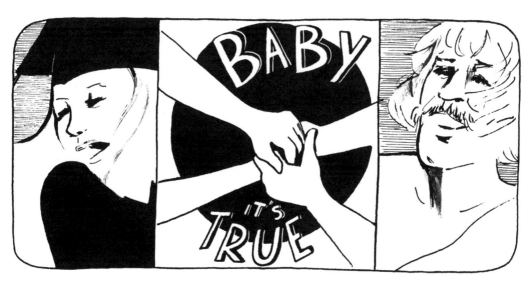

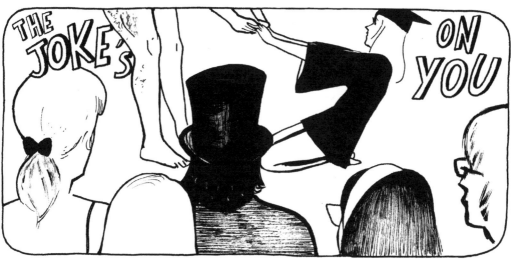

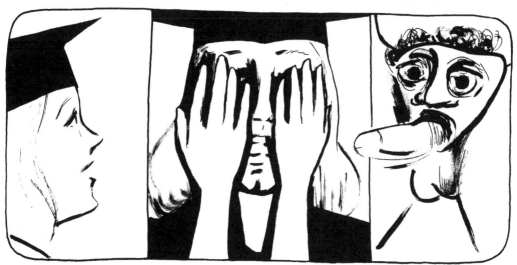

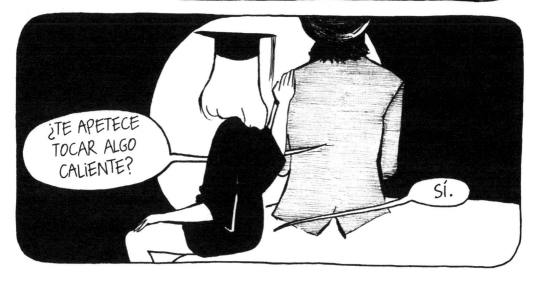

152

157

YOUR

EYES

AGAIN

ALL THE CHILDREN ARE INSANE

Continuará.

Notas

Prólogo

GEORGE VAN TASSEL

George van Tassel (1910-1978) fue piloto e ingeniero antes de consagrarse a su pasión por la ufología. En 1953 fundó la Convención de Naves Espaciales en Giant Rock.

Solganda era el extraterrestre llegado de Venus que lo había visitado (según contaba él) y lo había invitado a subir a su platillo volante para revelarle el secreto de la regeneración del cuerpo humano. Relató esa experiencia en «I Rode a Flying Saucer». Posteriormente publicó otros libros sobre los viajes temporales y el rejuvenecimiento.

La construcción del Integratrón, edificio en el que podría producirse la regeneración, se inició en 1954.

George van Tassel murió en 1978, pocos meses antes de su inauguración.

El Integratrón se encuentra en Landers, muy cerca de Giant Rock.

ELVIS

La interpretación de «Hound Dog» en «The Milton Berle Show» el 5 de junio de 1956 fue uno de los momentos clave de la carrera de Elvis. Sin guitarra, y por tanto con libertad de movimientos, escandalizó a Estados Unidos con su contoneo provocador y las idas y venidas del micro por la entrepierna. Entonces fue cuando lo apodaron «Elvis the Pelvis».

Para calmar a sus detractores, el 1 de julio cantó ese mismo tema, con smoking y un basset como acompañante, en «The Steve Allen Show».

❀

Capítulo I

«SOCK HOP»

Los «sock hops» eran una especie de bailes, o de guateques, típicos de la cultura del rock'n'roll, organizados en el recinto del instituto, en la cafetería o en el gimnasio. De ahí la consigna de descalzarse para no estropear el suelo barnizado. La animación corría a cargo de disc jockeys o grupos musicales.

Los «teen hops», o «record hops», se celebraban fuera del instituto.

«AMERICAN BANDSTAND»

«American Bandstand» fue un programa de la televisión estadounidense, emitido entre 1952 y 1989, en el que aparecían adolescentes bailando temas del hit parade. Luego Dick Clark, el presentador estrella, los entrevistaba para que opinaran sobre las canciones.

«El hecho de que Dick Clark trasladara su imperio a la Costa Oeste e incluso estrenara allí un nuevo programa en 1964, "Where the Action Is", demuestra que Los Ángeles se había convertido en la nueva capital del pop.»

—> «Waiting for the Sun», B. Hoskyns

DARLENE LOVE / THE CRYSTALS

El compositor y productor neoyorquino Phil Spector se afincó en Los Ángeles, donde formó un equipo con músicos californianos, conocidos como «la Wrecking Crew», dentro del estudio Gold Star.

En 1962 compró los derechos de la canción «He's a Rebel». Le corría mucha prisa grabarla con las Crystals, pero no estaban en Los Ángeles en aquel momento, de modo que acudió a otro grupo vocal, las Blossoms, liderado por Darlene Wright (más tarde Darlene Love), para que las sustituyeran.

«"He's a Rebel" fue la primera explosión verdadera del muro de sonido, [...] la cursilería adolescente elevada al rango de arte heroico [...] con la voz de Darlene Love por todo lo alto.»
—> «Waiting for the Sun», B. Hoskyns

«He's a Rebel» alcanzó el número uno de las listas a principios de noviembre de 1962.

«Las Crystals oyeron su nuevo éxito por la radio mientras estaban de gira en Ohio. [...]

Spector trataba a los músicos como reyes, pero demostraba menos miramientos con las cantantes. [...] Las consideraba simples engranajes de la maquinaria, útiles mientras las necesitaba, pero en el fondo perfectamente desechables. En Gold Star había sitio para un solo ego.»
—> «Tearing Down the Wall of Sound», M. Brown

BOBBY BEAUSOLEIL

Bobby Beausoleil cumple cadena perpetua por haber formado parte de la «familia» de Charles Manson y haber participado en el asesinato de Gary Hinman, el 27 de Julio de 1969.

BARBIE

La primera Barbie se comercializó en marzo de 1959. La concibió Ruth Handler, quien se dio cuenta de que a su hija Bárbara le apetecía jugar con una muñeca adulta, como la alemana Bild Lilli. La idea fue del agrado de su marido, cofundador de Mattel.

✤

Capítulo II

BRIAN WILSON

«Una de las grandes ironías del pop californiano es que sus himnos adolescentes más radiantes, de «Surfin'» a «California Girls», los escribió un carroza torpe y encerrado en sí mismo que no conseguía acercarse al sexo opuesto.»
—> «Waiting for the Sun», B. Hoskyns

La aparición en 1963 de «Be My Baby», producción de Phil Spector para las Ronettes, impresionó mucho a Brian, que empezó a escucharla sin parar.

«Brian cuenta que iba conduciendo y se vio obligado a detenerse cuando oyó por primera vez ese tema por la radio del coche. [...] A partir de entonces decidió recurrir a los músicos empleados por Spector para interpretar sus creaciones.»

→ «Pet Sounds», G. Tynevez

Ver también → «The Dark Stuff», N. Kent

❁

Capítulo III

LA BEATLEMANÍA

«Yo todavía llevaba el uniforme del colegio, sacaba notables en clase y trataba de descubrir qué tipo de chicos me convenía cuando recibí un dosis mortal de beatlemanía. [...]

Las fans de los Beatles nos juntábamos e íbamos por la calle de cuatro en cuatro, una por cada Beatle. [...] No dejábamos de escribirnos cartas sobre el grupo llenas de lamentos y de quejas que expresaban un deseo muy muy profundo de conocer a nuestro Beatle correspondiente.»

→ «I'm with the Band: Confessions of a Groupie», P. des Barres

Los Beatles hicieron su primera gira americana en febrero de 1964. Con la ayuda de una importante campaña publicitaria gestionada por Capitol Records, el grupo atrajo auténticas muchedumbres: la beatlemanía estaba en marcha.

Durante esas dos semanas en Estados Unidos, los Beatles actuaron en dos ocasiones en «The Ed Sullivan Show», donde pulverizaron los récords de audiencia (73 millones de telespectadores en su primera aparición, el 9 de febrero de 1964, a las 20 h).

«Van Dyke Parks recuerda que vivía debajo de una valla publicitaria que proclamaba "Llegan los Beatles" y se sentía como si se enfrentara a una epidemia de amplias implicaciones culturales. [...] De una forma u otra, queríamos arrebatar ese trofeo a los ingleses, que se nos habían adelantado.»

→ «Waiting for the Sun», B. Hoskyns

LAS RONETTES

A finales de 1963 y principios de 1964, las Ronettes hicieron una gira por el Reino Unido con los Stones de teloneros. Ronnie y Keith se enamoraron, mientras que Mick y Brian coqueteaban con las otras dos chicas del grupo, Estelle y Nedra.

Spector estaba muy celoso y prefería que Ronnie, con la que se casaría unos años más tarde, se quedara encerrada en su habitación.

Para ser fieles a la realidad, ese 9 de febrero de 1964 las Ronettes ya habían vuelto a Estados Unidos para recibir a los Beatles, con los que también habían tenido tiempo de congeniar durante la gira. John Lennon estaba completamente prendado de Ronnie.

Capítulo IV

LOS ROLLING STONES

«Es imposible comprender el poder sexual salvaje que emitían los Stones. Fue, sin duda, un soplo de aire formidable que transformó, decididamente y por siempre jamás, a la encorsetada estudiante de secundaria Pamela Miller, originaria de la localidad californiana de Reseda».

→ «Let's Spend the Night Together», P. des Barres

Los Byrds, así como Paul Revere y los Raiders, fueron teloneros del concierto de los Stones, el 16 de mayo de 1965, en el Long Beach Arena. Era ya su tercera gira americana.

LOS BEATLES + LOS BYRDS

Durante su segunda gira por Estados Unidos, del 15 al 31 de agosto de 1965, los Beatles invitaron a los Byrds a la casa que habían alquilado en Benedict Canyon. Al parecer, el grupo americano inició a los ingleses en el LSD.

→ «Riot on Sunset Strip», D. Priore

WATTS

Watts es un barrio del sur de Los Ángeles de mayoría afroamericana en los años sesenta.

Allí estallaron violentos disturbios el 11 de agosto de 1965, provocados por la detención de tres miembros de una familia negra. Los conflictos dejaron 34 muertos, más de 1000 heridos, más de 3000 detenidos y destrozos por valor de más de 35 millones de dólares.

«No sabía dónde estaba Watts y ninguno de mis amigos había ido. [...] Sobre esos disturbios, que duraron del 11 al 16 de agosto e implicaron al menos a 75.000 personas, la gente blanca de Los Ángeles tenía la impresión de que sucedían no sólo en otro barrio, sino en otro país.»

→ «Waiting for the Sun», B. Hoskyns

Capítulo V

LENNY BRUCE + SPECTOR

Tras la muerte de Lenny Bruce, el 3 de agosto de 1966, Phil Spector, muy afectado, se encargó del entierro y le organizó un homenaje, el 21 de ese mes, en el cementerio judío de Eden Memorial Park.

Previamente, publicó un anuncio en el que invitaba a la gente a acudir con una fiambrera y hacer ruido. Consciente de que estaría la flor y nata del underground de Los Ángeles, Pamela des Barres se las apañó para asistir.

→ «I'm with the Band: Confessions of a Groupie», P. des Barres

FUGAZI

Acrónimo utilizado por los soldados estadounidenses en la guerra de Vietnam cuando se encontraban en una situación desesperada: «Fucked Up, Got Ambushed, Zipped In».

BOBBY BEAUSOLEIL / LOVE / WATTS

«Era un poco irónico ver a un grupo multirracial formado por cuatro jóvenes felices de haber encontrado un nombre tan hermoso y emblemático, Love, desorientados entre tanto odio.»

→ «Love», S. Koechlin

LAUREL CANYON

«Laurel Canyon era el lugar al que ibas cuando te escapabas de casa de tus padres, te escondías de las autoridades, escribías música, libros o guiones de cine y alternabas con grupos, los que estaban en lo alto de las listas y los que querían estarlo.»

→ «Canyon of Dreams», H. Kubernik

Allí vivían Jim Morrison, David Crosby, Graham Nash y Joni Mitchell, Jackson Browne, Arthur Lee, Carole King, Frank Zappa, etcétera. El centro neurálgico de la comunidad era la Laurel Canyon Country Store.

LAS NINFAS / DESAPARICIONES

«Los adolescentes vagaban de una ciudad desgarrada a otra, renunciando tanto al pasado como al futuro, igual que las serpientes al mudar la piel. [...]

Desaparecían hijos. Desaparecían padres. Los que quedaban lo denunciaban sin mucha convicción y luego pasaban a otra cosa.»

→ «America», J. Didion

Capítulo VI

SUNSET STRIP

Nombre dado a una parte de Sunset Boulevard a su paso por West Hollywood. Reunía una cantidad increíble de bares y clubes donde los grupos se turnaban para tocar durante temporadas: el Gazzarri's, el Schwab's, el Trip, el Bido Lito's, el Hullabaloo, el Ash Grove, el Troubadour, el Pandora's Box y el célebre Whisky a Go Go, donde la DJ Patty Brockhurst, que entretenía al público entre concierto y concierto desde una jaula suspendida encima de la pista, se puso un día a bailar. El éxito fue tal que los dueños pusieron más jaulas para otras gogo girls.

REVUELTAS DEL SUNSET STRIP

«Lo que azuzó el Strip aquel verano de 1966 fue la amenaza a la animada vida nocturna de la juventud. [...] Cuando se anunció el proyecto de demoler el Pandora's Box [...] una manifestación acabó con la detención masiva de 300 personas.»

→ «Waiting for the Sun», B. Hoskyns

Stephen Stills compuso «For What It's Worth» entre la multitud.

MONTEREY INTERNATIONAL POP FESTIVAL

Se celebró del 16 al 18 de junio de 1967 y asistieron más de 200.000 personas. Todos los artistas tocaron gratis y la recaudación se destinó a obras de caridad.

«La industria discográfica cambió después de Monterey y de que los sellos se dieran cuenta de lo importantes que eran.»

→ «Canyon of Dreams», H. Kubernik

CHARLES MANSON

Manson estaba obsesionado con los Beatles. Al salir de la cárcel en marzo de 1967 se dirigió a San Francisco, donde ligó con Mary Brunner, una bibliotecaria de 23 años con la que se fue a vivir. Pronto se llevó a otra chica. Y luego a otra. Pese a la reticencia de Mary, acabaron con 18 compañeras de casa. Había nacido «la familia».

→ «Helter Skelter», V. Bugliosi

🌀

Girls Together Outrageously !

~ El discurso ~

Quiero dar las gracias a mis encantadoras compañeras de viaje, sin las cuales tendría que haber recorrido Los Ángeles en autobús o, peor aún, a pie:

Sophie Letourneur, Hélène Gransily y Laurence Coste.

Ha sido un poco como «Thelma y Louise», pero sin la violación, los atracos y el salto mortal al gran Cañón.

Muchas gracias a Julie le Gal y Stéphane Chivot por su recibimiento.

A Paul Body, Henry Diltz y Gary Burden, por el tiempo que me han dedicado. A Philippe Garnier por el paseo.

Doy las gracias especialmente a Harvey Kubernik por haber estado siempre disponible para responder a mis preguntas.

¡♡ Miss Pamela + Miss Mercy!

He podido hacer este libro gracias a la Mission Stendhal, al CNL y a l'Association. Un fuerte agradecimiento a Éric Bricka.

Gracias a Vincent Brunner y a Hervé Bourhis por su lectura y sus ánimos. Gracias a Éliette Scherer.

A todos mis colegas de La Vieille. A mi padre, a mi madre y a Jean-Michel, y a mis GTO particulares, de todo corazón. Ellas sabrán quiénes son.

HOUND DOG / Elvis Presley - Sello: RCA - Escrito por Jerry Leiber & Mike Stoller - producido por Steve Sholes - Fecha de creación: 1952 ❊ HE'S A REBEL / The Crystals - Sello: Philles Records - Escrito por Gene Pitney - producido por Phil Spector - Fecha de creación: 1962 ⚡ 409 / The Beach Boys - Sello: Capitol - Escrito por Brian Wilson, Mike Love & Gary Usher - producido por Murry Wilson - Fecha de creación: 1962 ◎ IN MY ROOM / The Beach Boys - Sello: Capitol - Escrito por Brian Wilson & Gary Usher - producido por Brian Wilson - Fecha de creación: 1963 ❋ SURFER GIRL / The Beach Boys - Sello: Capitol - Escrito por Brian Wilson - producido por Brian Wilson - Fecha de creación: 1963 ❀ BE MY BABY / The Ronettes - Sello: Philles Records - Escrito por Phil Spector, Jeff Barry & Ellie Greenwich - producido por Phil Spector - Fecha de creación: 1963 ❋ ALL MY LOVING / The Beatles - Sello: Parlophone (Reino Unido) & Capitol (Canadá) - Escrito por John Lennon & Paul McCartney - producido por George Martin - Fecha de creación: 1963 ❋ (I CAN'T GET NO) SATISFACTION / The Rolling Stones - Sello: London - Escrito por Mick Jagger & Keith Richards - producido por Andrew Loog Oldham - Fecha de creación: 1965 ❋ GOOD MORNING, LITTLE SCHOOLGIRL / Muddy Waters - Sello: Chess - Escrito por Sonny Boy Williamson I (1937) - producido por Ralph Bass & Willie Dixon (1964) ≈ SLOOP JOHN B / The Beach Boys - Sello: Capitol - Arreglado y producido por Brian Wilson - Fecha de creación: 1965 ❧ GOT A FEELIN' / The Mamas and the Papas - Sello: Dunhill - Escrito por John Phillips & Dennis Doherty - producido por Lou Adler - Fecha de creación: 1966 ☁ FOR WHAT IT'S WORTH / Buffalo Springfield - Sello: Atco - Escrito por Stephen Stills - producido por Charles Greene & Brian Stone - Fecha de creación: 1966 ❀ THE END / The Doors - Sello: Elektra - Escrito por Jim Morrison, Robby Krieger, Ray Manzarek & John Densmore - producido por The Doors & Paul A. Rothchild - Fecha de creación: 1966 ☄ HOME IS WHERE YOU'RE HAPPY / Charles Manson - Sello: Awareness - Escrito por Charles Manson - producido por Phil Kaufman - Fecha de creación: 1967 ☽ CAROLINE, NO / The Beach Boys - Sello: Capitol - Escrito por Brian Wilson & Tony Asher - producido por Brian Wilson - Fecha de creación: 1966 ✰ TREAT ME NICE / Elvis Presley - Sello: RCA Victor - Escrito por Jerry Leiber & Mike Stoller - producido por Jerry Leiber & Mike Stoller - Fecha de creación: 1957.

Título original: *Autel California*
© Nine Antico & L'Association, 2014
Todos los derechos reservados.
Publicado en acuerdo con L'Association.

Primera edición: abril de 2016

© de esta edición: Roca Editorial de Libros, S. L.
© de la traducción: Carlos Mayor

Dirección editorial: Octavio Botana
Maquetación y rotulación: Abogal
Av. Marquès de l'Argentera 17, pral.
08003 Barcelona
info@sapristicomic.com
www.sapristicomic.com

Impreso por Egedsa
ISBN: 978-84-944140-7-7
Depósito legal: B-4911-2016
Código IBIC: FX
Código del producto: RS14077